OSCAR TORTUGA

Geronimo Stilton is een wereldwijd beschermde merknaam.
Alle namen, karakters en andere items met betrekking tot Geronimo Stilton zijn het copyright, het handelsmerk en de exclusieve licentie van Atlantyca S.p.A.
Alle rechten voorbehouden.
De morele rechten van de auteur zijn gewaarborgd.

Tekst: Oscar Tortuga
Oorspronkelijke titel: Ci mangeremo Geronimo Stilton!
Vertaling: Loes Randazzo
Omslag: Flavio Ferron
Illustraties: Flavio Ferron, Giuseppe Facciotto, Blasco Pisapia en Christian Aliprandi
Ontwerp: Yuko Egusa en Sara Baruffaldi

© 2007 Edizioni Piemme S.p.A, Via Galeotto del Carretto 10, 15033 Casale Monferrato (Al), Italië
© Internationale rechten: Atlantyca S.p.A., via Telesio 22, 20145 Milaan, Italië
© 2008 Nederland: Bv De Wakkere Muis, Amsterdam - ISBN 978-90-8592-060-1
© België: Baeckens Books nv, Uitgeverij Bakermat, Mechelen - ISBN 978-90-5461-622-1
   D/2008/6186/27
   NUR 282/283

Stilton is de naam van een bekende Engelse kaas. Het is een geregistreerde merknaam van The Stilton Cheese Makers' Association. Wil je meer informatie ga dan naar www.stiltoncheese.com

Druk: Drukkerij Giethoorn Ten Brink, Meppel (NL)

Oscar Tortuga

LOSGELD
VOOR GERONIMO

Oscar Tortuga

Oscar Tortuga is de beste journalist van heel Katteneiland. Hij is altijd op het spoor van het laatste nieuws, schrijft artikelen voor de krant die hij zelf uitgeeft: De Krijsende Kater. Hij is een volle neef van Kattenklauw III, de Zwarte Zeerover.
Toen hij zijn eerste boek uitgaf had hij een leuk schuilnaam bedacht: Mister Mycius, maar iedereen wist dat hij het was! Dus nu schrijft hij boeken onder zijn eigen naam: Oscar Tortuga.

Kattenklauw III, de Zwarte Zeerover

Derde generatie van de Kattenklauw dynastie. Hij houdt heel Katteneiland in een ijzeren greep. Het is een verwaande zelfingenomen kat, gierig bovendien en niet al te snugger. Je kunt zo wel zien dat hij dol is op lekker eten. Hij woont met zijn hele familie in het Keizerlijk Fort.

TERSILLA

Dochter van Kattenklauw III, en zus
van Glitter en Bitter. Ze is een listige,
valse ijdeltuit.
Ze staat het liefst in het middelpunt.
Haar grootste wens is als enige op
het eiland een 24 karaats vergulde
motorboot te bezitten.

GLITTER EN BITTER

Een tweeling, nageslacht van
Kattenklauw III.
Glitter is een echte poes,
extreem dynamisch, modegek en
geïnteresseerd in architectuur.
Bitter daarentegen is een rappende computerfreak.
Als hij later groot is wil hij marinebioloog worden
of een ecologische motor uitvinden die niet vervuilt.

KEIZERLIJK WOONFORT

1. Ingang van het fort
2. Eregalerij
3. Wachtpost
4. Labyrint
5. Verblijven van Ma Trone, Glitter & Bitter en Tersilla
6. Keizerlijke tuinen
7. Zwembad
8. Gastenverblijf
9. Verblijf van Katelijne
10. Blauwe Toren

WOONVERTREKKEN VAN KATTENKLAUW III

11. Ingang
12. Feestzaal
13. Garderobe
14. Audiëntiezaal
15. Raadskamer
16. Banketzaal
17. Geheime kamer
18. Bergruimte
19. Keuken
20. Voorraadkast
21. Discotheek
22. Privé-tuin
23. tv-zaal
24. Slaapkamer
25. Badkamer
26. Dommelkamer
27. Muziekkamer
28. Fitnessruimte

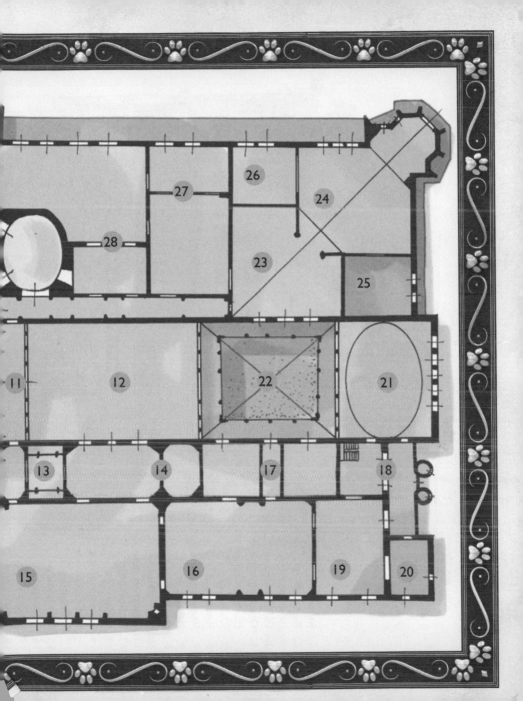

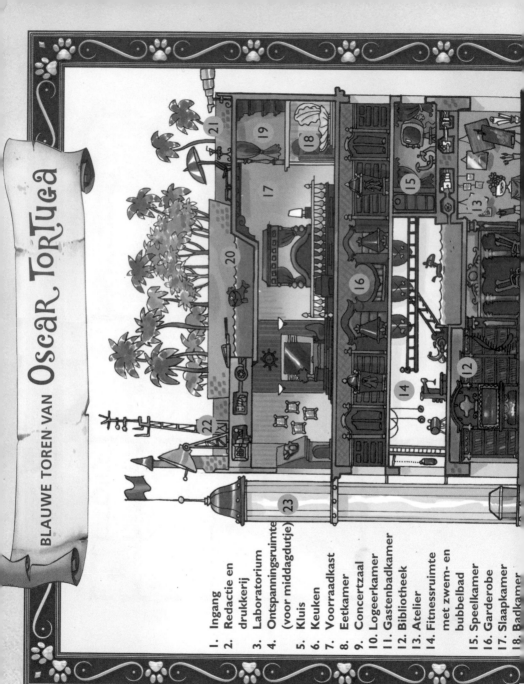

BLAUWE TOREN·VAN Oscar Tortuga

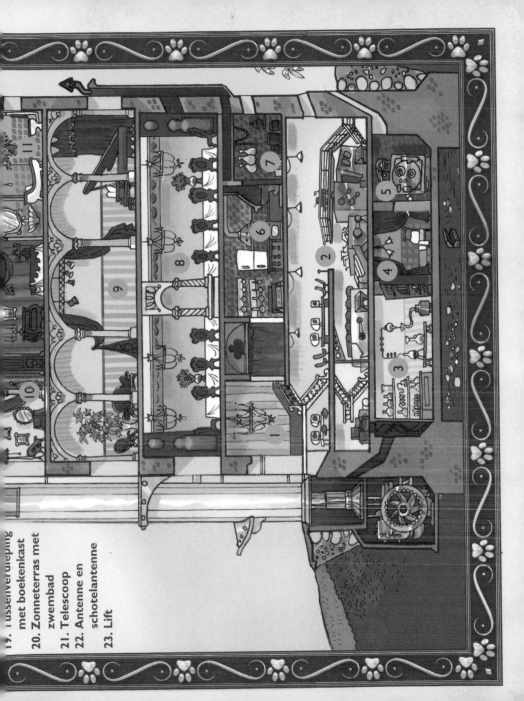

19. Tussenverdieping met boekenkast
20. Zonneterras met zwembad
21. Telescoop
22. Antenne en schotelantenne
23. Lift

DE DAG VAN OSCAR, TORTUGA

In het noordelijk deel van de Noordelijke
Katidische Oceaan ligt een eiland: KATTENEILAND!
Op Katteneiland staat een toren.
In die toren is een **kamer.**
In die kamer staat een *bed*.
In dat bed ligt een KAT die snurkt…

snurrrrrrrrrrrrk!   snurrrrrrrrrrrrrk!

snurrrrrrrrrrrrrk!   snurrrrrrrrrrrrrk!

snurrrrrrrrrrrrrk!   snurrrrrrrrrrrrrk!

Klokslag 9 uur... opende **Oscar Tortuga** zijn **linkeroog**, gaapte en draaide zich om.

Klokslag 9.30 uur... opende Oscar Tortuga zijn **rechteroog**, gaapt en draaide zich om.

Klokslag 10 uur... sperde Oscar Tortuga **beide ogen** wijd open.

Hij krijste uit volle borst: '*MIAUW! MIJN ONTBIJT!*'

Oscar Tortuga had altijd last van een ochtendhumeur...
Op een **MEGA-MACROGROTE** flatscreentelevisie keek hij naar het nieuws.

De deur zwaaide open en $\mathbb{K}$ruimel, de majordomus (tegenwoordig ook wel butler genoemd), duwde een serveerwagentje beladen met lekkernijen de slaapkamer binnen.

Oscar gaapte, je kon zijn amandelen zien, zo wijd sperde hij zijn bek daarbij open.

Hij likkebaardde en proefde van alle gerechten.
Hij reeg de hapjes aan zijn lange,
scherpe nagels en verslond zc.
Tevreden mauwde hij: 'Miauw,

 OCTOPUSWORSTJES gebakken

in walvisvet, *garnalenballen,*

broodjes met m o s s e l j a m ...

krabtoastjes en... hé, waar zijn

de HARINGEN? Hè? Jc weet toch dat ik

's morgens altijd versgevangen HARING wil!'

De butler kwam buiten adem

AANRENNEN mct een schaal

vol haring. Oscar Tortuga

mopperde: 'Oef, de volgende keer een beetje

beter opletten!'

Hij hapte een harinkje en liet een boer:

'Burrrrp!'

Gapend liep hij naar zijn **mega-macrogrote** badkamer. Daar stond een bad in de vorm van een schelp. Hij dook in het gloeiend hete water en speelde met de zeepbellen.
Hij zong een vrolijk
PIRATENKATTENLIED:

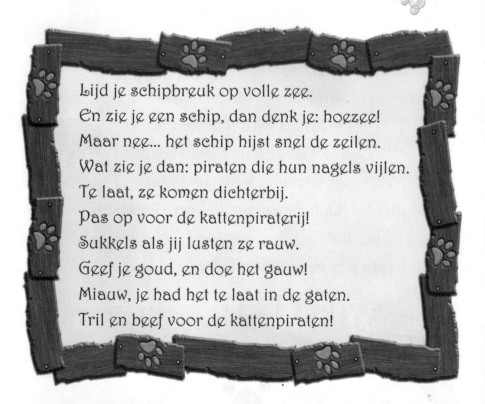

Lijd je schipbreuk op volle zee.
En zie je een schip, dan denk je: hoezee!
Maar nee... het schip hijst snel de zeilen.
Wat zie je dan: piraten die hun nagels vijlen.
Te laat, ze komen dichterbij.
Pas op voor de kattenpiraterij!
Sukkels als jij lusten ze rauw.
Geef je goud, en doe het gauw!
Miauw, je had het te laat in de gaten.
Tril en beef voor de kattenpiraten!

 Hij stapte uit het water, droogde zich af en
deed wat parfum **'Eau de haring'**
op. Toen kamde hij zijn snor, zijn trots,
en bepoederde hem met goudkleurig **POEDER.**
Tevreden keek hij in de spiegel.

Met de lift ging hij een verdieping naar beneden. Daar bevond zich zijn kleedkamer. Hij trok een onderbroek aan waar zijn initialen op geborduurd waren. Daarna deed hij een elegant kanten hemd aan en

een blauwe broek. Daarop droeg hij een jasje,
afgezet met *goud*, en met gouden knopen.
'Ik ben gek op blauw, dat past zo goed bij mijn
ogen, *MIAUW*.'
Om zijn broek deed hij een riem met een gesp
in de vorm van een DOODSKOP.
Hij trok zijn laarzen aan en zette zijn
steek op. Om zijn vinger deed hij een

kostbare gouden
ring met een zegel.
Hij wilde al naar buiten
gaan, maar draaide zich
om en deed een ooglapje
voor zijn linkeroog.
'*MiAuW*, zou ik toch bijna
mijn *ooglapje* vergeten!'
Hij ging naar beneden,
naar de bibliotheek,
doopte zijn ganzenveer
in de *inkt*... rekte
zich uit, gaapte en zei:
'*MiAuW*, eigenlijk zou ik
nog wel even terug in
bed willen kruipen...'
Op dat moment
kondigde de butler aan:

'*Mijnheer, uw keizerlijke neef* wil u spreken!'

 Oscar Tortuga miauwde: 'Ik druk mijn snor, wat moet ik met mijn *keizerlijke neef!*'

De deur van de lift zwaaide open en een stem katte: 'Wat moeten mijn *keizerlijke oren* nu horen?'

Oscar Tortuga $sprong$ op en draaide zich om, hij gooide daarbij het krukje om.

Daar, komt Kattenklauw!

Voor hem stond een **LIJVIGE** kat, met een bijtende blik in zijn ogen. Daar waar ooit zijn rechtervoorpoot zat, zat nu een **ZILVEREN HAAK**.
Daar waar ooit zijn linkerachterpoot zat, zat nu een **houten** poot.
En op zijn linkerwang had hij een akelig **litteken**. Hij droeg een rood jasje afgezet met goud en een zijden vestje.
Het was niemand minder dan:
KATTENKLAUW III, DE ZWARTE ZEEROVER, KEIZER DER KATTEN, GENADELOZE GEZAGVOERDER VAN DE PIRATENKATTEN, KAPITEIN IN

WEER EN ONWEER, RIDDER IN DE ORDE VAN DE
GOUDEN SABEL, HEER VAN KATTENDRECHT.

Kattenklauw **baste:** 'Wat zei je? Jij drukt je snor?'

OSCAR TORTUGA hoog en mauwde: 'Neeee,
Keizer der Katten, ik zei... *dat zit wel snor!* Ik
ben immers uw trouwe $d_ie_na_ar$ en uw
$b_es_ch_er_me_r$ en uw $b_ew_on_de_ra_ar$ en uw...'

'Oef, hou maar op. Vertel me liever hoe ver je al
staat met de biografie van KATTENKLAUW III,
het verhaal van mijn leven!'

Oscar Tortuga mauwde: 'Eh, ik ben al redelijk ver,
Majesteit!'

'Dat zal wel, wanneer ben je klaar?'

'Eh, ja, dat duurt nog wel even, zoiets
moet zorgvuldig gebeuren.
Ik wil uw *NOBELE PERSOON-
LIJKHEID* zo voordelig mogelijk uit laten
komen en...'

Kattenklauw donderdee 'Genoeg
gemauwd, laat me maar eens zien wat je aan
het schrijven bent!'
Hij griste het perkament uit Oscars poten.
'Ahum… maar dat is een boodschappenlijstje,
dat gaat helemaal niet over mij!'
Oscar probeerde van onderwerp te veranderen.
'Majesteit, we moeten opschieten, de RAAD VAN
KATTENZAKEN houdt zo zitting!'
De twee gingen naar beneden en liepen naar de
RAADSKAMER.

De Raad van Kattenzaken

Kattenklauw ging op de troon zitten en brulde: 'IK VERKLAAR DE ZITTING VOOR GEOPEND!'

Bollebuik Von Trippen, de meest gehate kat van het hele eiland, riep: 'De schatkist is leeg!'

Mik Kattiken, een graatmagere katachtige met een klembrilletje op zijn snuit, raspte: 'We hebben goud nodig… heel veel goud.'

Miauw Mau, een elegant poesje met grote amandelvormige ogen, mauwde: 'En wel onmiddellijk!'

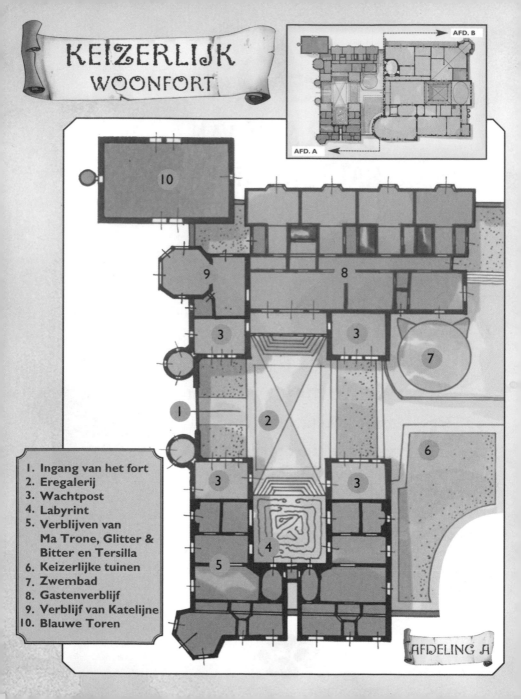

KEIZERLIJK
WOONFORT

AFD. B

AFD. A

1. Ingang van het fort
2. Eregalerij
3. Wachtpost
4. Labyrint
5. Verblijven van
   Ma Trone, Glitter &
   Bitter en Tersilla
6. Keizerlijke tuinen
7. Zwembad
8. Gastenverblijf
9. Verblijf van Katelijne
10. Blauwe Toren

AFDELING A

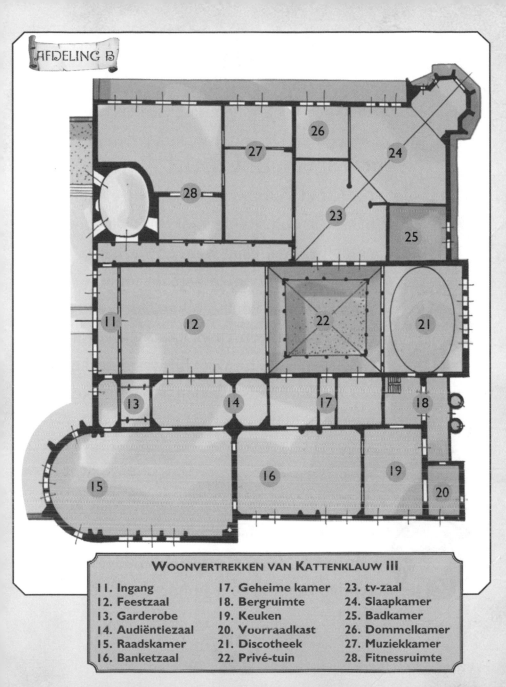

AFDELING B

WOONVERTREKKEN VAN KATTENKLAUW III

11. Ingang
12. Feestzaal
13. Garderobe
14. Audiëntiezaal
15. Raadskamer
16. Banketzaal
17. Geheime kamer
18. Bergruimte
19. Keuken
20. Voorraadkast
21. Discotheek
22. Privé-tuin
23. tv-zaal
24. Slaapkamer
25. Badkamer
26. Dommelkamer
27. Muziekkamer
28. Fitnessruimte

Iedereen klapte instemmend, de zaal trilde op zijn grondvesten. De katten scandeerden in koor:
'Goud! Goud! Goud!'

Kathoel Khan, een oude wijze kater met maar een oog, stelde voor: 'Als we goud nodig hebben, gaan we toch werken…'
De anderen snoerden hem de snuit: 'Ja hoor, heb jij al eens een kat zien werken?'

Bibo Felien, een klein, petieterig klein katje (maar klein als hij was, hij was geen katje om zonder handschoenen aan te pakken) miauwde: 'Dan moet we maar op strooptocht!'

Vivian La Chatte, een poesje met groene oogjes, snauwde: 'Strooptocht? Naar goud? En waar wil je dat dan doen?'

Bonzo Felix, een rondbuikige katachtige van minstens honderd kilo, bromde:

'We kunnen ook een muis ontvoeren...
bijvoorbeeld de uitgever van *De Wakkere Muis,
Geronimo Stilton*. Dan vragen we losgeld...
in goud.'

Kattenklauw mopperde: 'En als de
muizen het losgeld voor Geronimo
Stilton niet willen betalen?'

Zenobia de Katarme, een poes met
een zijdezacht pelsje, krijste met hoge stem: 'Die
betalen heus wel! Die muis is immers beroemd!

We weten waar hij woont, werkt en wie
zijn vrienden zijn! Die knager schrijft
dat zelf in zijn boeken!'

Kika Kittekat, een elegant gevlekt poesje,
grijnsde: 'Kinderspel, die muis ontvoeren!'

Kattenklauw gilde: 'De raad heeft gesproken:
we ontvoeren Geronimo Stilton, vragen losgeld
en maken een smakelijke kattensnack van hem!'

HET GEHEIM
VAN KATELIJNE

Toen de RAADSVERGADERING was afgelopen, liep
Oscar Tortuga de RAADSKAMER uit. Zijn haren
stonden recht overeind. Zachtjes mopperde hij:
'Wat een kattenkoppen... en wat een tijdverspilling! Als ze
nu maar naar mij geluisterd hadden, dan was onze schatkist
nog vol geweest! Lompe jammerkatten. Het heeft absoluut
geen zin om Geronimo Stilton te ontvoeren!'
Na even nadenken: 'Bovendien komt me dat
helemaal niet van pas, nog een **intellectueel**
op het eiland! Dat betekent CONCURRENTIE!
Nee, ik moet dat zien te voorkomen!'
Er kwam nog een ontevreden kat de RAADS-
KAMER uit: **Katelijne,** de nicht van Kattenklauw,

een ware beauty.
Iedereen was altijd onder
de indruk van deze mooie
en **MYSTERIEUZE** poes.
Niemand kon iets over
haar vertellen… er werd
gefluisterd dat ze een
geheim had, maar niemand
wist wat dat dan was!
Katelijne verdween stilletjes
door de lange onkere gang.
Ze was

diep…

diep…

in gedachten.

Waarom? Ja, *waarom*, dat
was de grote vraag!

sloop naar zijn toren.

Zij liep naar de bibliotheek en deed de deur achter zich op slot.

Hij ging naar de bovenste verdieping van de toren: van daaruit had hij goed zicht op wat Katelijne uitspookte.

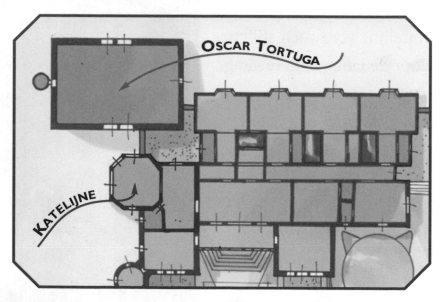

36

Katelijne deed het licht aan en haar schaduw
was te zien in het **TEGENLICHT.**

Oscar stelde de telescoop, waarmee hij heel
Kattendrecht kon overzien, scherp.

Katelijne drukte op een verstopte knop en de
boekenkast begon te draaien...

Daarachter bevond zich een geheime ruimte met
het complete oeuvre van *Geronimo Stilton*.

Al zijn boeken!

Oscar sperde zijn ogen wijd open van verbazing.

Dat was dus het geheim van Katelijne: zij ver-
zamelde de boeken van *Geronimo Stilton!*

Oscar Tortuga gniffelde.

Deze kennis kwam hem vast vroeg of laat nog
wel eens van pas!

SNELLER, LUILAKKEN!

KATTENKLAUW liet zich in een draagstoel vervoeren, gedragen door vier gespierde **'klerenkast'** katten.

Hij katte tegen de voorzitter van de raad: 'Ik heb proviand nodig voor het vervoer naar de haven. Breng me **3** kilo chips, **5** kilo sardientjes en **8** kilo **PURE CHOCOLA!**'

Toen riep hij: 'Naar de haven!'

De vier klerenkastkatten zuchtten: 'Is de baas nu alweer **DIKKER** geworden. Straks zakt hij nog eens door de draagstoel. Wat zwaar, MIAUW!'

De draagstoel deed er een half uur over om in

de haven, **HAAI BAAI,** aan te komen,
Onderweg leunde Kattenklauw uit het raampje.
Hij smulde van de **PURE CHOCOLA,** die
langs zijn mondhoeken naar beneden droop, en
smeet visgraten naar zijn vier dragers.
'Sneller, sneller, stelletje luilakken!'
Zij fluisterden zachtjes: 'Ga dan ook op dieet,
VETZAK!'

Eindelijk waren ze bij de haven. Kattenklauw brulde al van ver: 'Hijs de zeilen van mijn galjoen, **DE ZWARTE TORNADO.**

We zorgen ervoor dat we in het pikdonker voor anker gaan bij MUIZENEILAND. Dan ziet niemand ons aankomen!'

Hij likkebaardde. 'Tja, de reis duurt meerdere dagen, dan moet ik voor nog meer **proviand** zorgen... breng me **30** kilo paté, **10** kilo gerookte zalm, **80** oesters, **4** haringpasteien, **47** toastjes met octopusmarmelade... en een **kabeljauwlolly,** die eet ik meteen op.'

KABELJAUW-
LOLLY

Alle zeekatten gingen aan boord, Kattenklauw als laatste.

De Keizer der Katten gaf het bevel: 'Licht het **ANKER,** koers naar Muizeneiland!'

De zeilen van het galjoen bolden in de wind, de reis kon beginnen.

Tien dagen later schreeuwde een matroos in het kraaiennest: 'LAND IN ZICHT!'

Kattenklauw klonk tevreden: 'Miauw, we zijn er!'

Land in zicht!

De dag van Geronimo Stilton

Zuidelijk van de Zuidelijke Rattenoceaan ligt
een eiland: *MUIZENEILAND!*
Op Muizeneiland staat een huis.
In dat huis is een **kamer.**
In die kamer staat een *bed*.
In dat bed ligt een **MUIS** die snurkt…

snurrrrrrrrrrrr rk!　　snurrrrrrrrrrrr rk!

snurrrrrrrrrr rk!　　snurrrrrrrrrr rk!

snurrrrrrrrrr rk!　　snurrrrrrrrrrr rk!

Klokslag 7 uur ging de
wekker.

Tring, tring, tring!
Geronimo Stilton opende
zijn ogen en sprong
energiek uit bed.

Hij zette de ramen
wagenwijd open, nam een
diepe teug frisse lucht en
keek naar de zon die
opkwam.

Enthousiast piepte hij:
'Het wordt een *mooie dag,*
vandaag!'

Geronimo Stilton was een
echte ochtendmuis, altijd
meteen goed gehumeurd
en vol energie.

Hij ging naar de keuken en maakte zijn ontbijt klaar. Het ontbijt is belangrijk, dat mag je nooit overslaan. Geronimo bakte een eitje en maakte een peren-gorgonzola shake.

Dat was nog niet alles want hij at ook nog een croissant en een broodje GESMOLTEN kaas. Hij dronk er een kop warme melk bij.

Toen hij alles op had likte hij tevreden langs zijn lippen: 'MJAM, dat was lekker!'

Hij liep naar de badkamer, nam een douche, waste zich zelfs achter zijn oren, en sponsde zijn vacht.

Hij zong daarbij het vrolijke Muizenlied.

Geef mij maar mijn Rokford,
dat is mooier dan Parijs.
Geef mij maar mijn Rokford,
een muizenparadijs.
Want in Rokford ben ik rijk
en gelukkig tegelijk.
Geef mij maar mijn Rokford...

Hij droogde zich af en deed wat parfum op,
'EAU DE TOILETTE RACLETTE'.
Hij trok zijn broek aan, borstelde zijn
vacht en kamde zijn snor.
Toen hij klaar was, ging hij naar
buiten en floot een vrolijk deuntje!
Maar voor de deur van zijn huis...

KOM NAAR, DE HAVEN...

...lag een opgerold perkament, verzegeld met zegellak.

Geronimo rolde het open en bromde:

'Wat staat hier... het gaat over een primeur... *gi-ga-geitenkaas,* dat is interessant! Eh, ik ben alleen een beetje bang. Om middernacht... in de haven... alleen... dat is gevaarlijk!'

Als je een megaprimeur wilt,
die heel Muizeneiland
op zijn kop zet,
kom dan naar de haven,
om middernacht. Pier 13.
Praat er met niemand over,
anders...

kun je de primeur vergeten!

Doodsbang ging hij om middernacht naar de haven.

Het zag er in de mist **SPOOKACHTIG** uit!

Geronimo rilde, hij liep langs pier nummer **1,** toen nummer **2,** toen nummer **3,** toen nummer **4,**

toen nummer **5,** toen nummer **6,**

toen nummer **7,** toen nummer **8,**

toen nummer **9,** toen nummer **10,**

toen nummer **11,** toen nummer **12,**

en kwam eindelijk aan bij nummer **13** *!*

VERZEGELD MET RODE ZEGELLAK.

Geronimo keek om zich heen.

Er was niemand, de haven was uitgestorven.

Opeens doemde er een figuur op uit de MIST.

$H_{i}n_{k}e_{n}d$ kwam de schaduw op hem af, zijn **houten** poot maakte een luguber geluid.

$T_{i}k\text{-}t_{o}k!$ $T_{i}k\text{-}t_{o}k!$ $T_{i}k\text{-}t_{o}k!$

Toen hij vlakbij was, sperde Geronimo zijn ogen open en stotterde: 'M-maar dat is een...'

De ander gniffelde: 'Goed gezien, knager!

Ik ben een **KAT...** en niet zomaar een kat, ik ben **KATTENKLAUW DE DERDE!**'

54

Geronimo werd opeens omringd door een stelletje PIRATENKATTEN, die uit het niets leken te verschijnen.

'Wat een schattig muisje!'

'Eten we hem gebakken?'

'Nee, joh, koken is lekkerder...'

'Of geroosterd!'

'Ja, hoor! Geroosterd!'

Maar Kattenklauw *donderde:* 'Blijf met je poten van die knager af, wee je gebeente! Ik heb hem levend nodig (nu nog wel). Neem hem mee!'

Geronimo was zich een hoedje geschrokken, hij was **gi-ga-mega-macroBANG!**

Hij probeerde te ontsnappen, maar de piraten grepen hem bij zijn staart.

Geronimo brulde: *'Help, iemand, help!'*

Maar niemand hoorde hem.

Hij probeerde bij zijn mobieltje te komen, maar

een piraat griste het uit zijn poten,
gooide het op de grond en ging er
met de hak van zijn laars op staan:
'O, nee, knager, jij belt niemand!'

Krak!

De angst van Geronimo nam nog meer toe,
toen hij een **donkere schaduw** op zag duiken in
de mist, schommelend op de golven,
een enorme spookverschijning!
Het was een zwart galjoen… een piratengaljoen!
Een **DIKKE** kater, maat
klerenkast, met een tatoeage
in de vorm van een anker,
greep de arme knager bij
zijn staart en droeg hem
aan boord.

Miauw!

Piep!

Terwijl hij op werd getild
brulde Geronimo: 'Hé, maar
wat was nu die **PRIMEUR**

die heel Muizeneiland op zijn kop zet?'

Kattenklauw gniffelde: 'Wat denk je van:
Geronimo Stilton ontvoerd door piratenkatten!'

Geronimo bromde: 'Ze komen me heus wel
redden.'

'Kop dicht, knager! Daar zou ik maar niet zo
zeker van zijn. We koersen nu op **volle zee**
af. Het enige spoor dat we achter laten is een
perkamentrol.'

Wij hebben
Geronimo Stilton
ontvoerd! Voor zijn
vrijlating eisen wij
duizend goudstukken
(echte, geen speelgoed!)
Kattenklauw III,
De Zwarte Zeerover

ALLE HENS AAN DEK VAN DE ZWARTE TORNADO

De Zwarte Tornado vertrok met de wind in de rug, de zeilen **BOLDEN** zich met de avondwind. Het galjoen voer snel en doorkliefde de golven als een scherp mes.

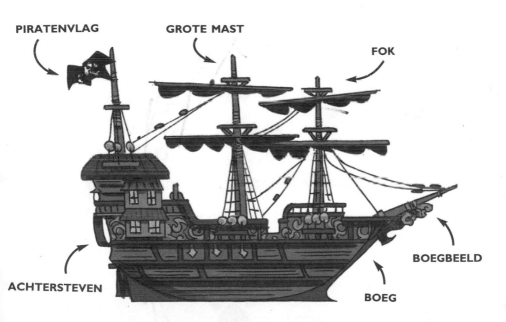

PIRATENVLAG

GROTE MAST

FOK

BOEGBEELD

ACHTERSTEVEN

BOEG

Af en toe reflecteerde er een **maanstraal**
op de koperen versieringen van het galjoen.
Voordat hij in het ruim werd ~~opgesloten~~ keek
Geronimo nog een keer achterom naar zijn
geliefde *MUIZENEILAND* dat langzaam achter
de horizon verdween.

'Ik draag Rokford in mijn hart, en op mijn eer
van knager: ik kom terug! Zowaar ik Stilton,
Geronimo Stilton heet!'

Een zeekat duwde hem de trap af het ruim in:
'Een knager met een snor in de nor, ha ha ha!'

Geronimo liep ~~rillend~~ het **donkere**
ruim in. Wat ze ruim noemde!
Het leek meer op de maag van
een uitgehongerde **kat.** De enige
onderbreking van de scheepswanden was een
klein rond patrijspoortje met dikke gekruiste
tralies ervoor.

De vloer lag vol rotzooi en het rook er **muf.**
'Maar... waar moet ik slapen?' vroeg Geronimo.
De zeekat lachte in zijn knuistje
en wees op een deken.
De **VLOOIEN** vierden net
een *feestje* op de deken...
'Daar!'
Geronimo zei: 'Maar... waar is de wc?'
De zeekat lachte in zijn knuistje en wees naar
een emmer. Er speelde een zwerm vliegen
tikkertje om de emmer heen.
'Hier!'
'Maar... wat moet ik eten?'
De zeekat lachte in zijn knuistje en
duwde hem een kommetje in zijn
poten. Beschimmelde bonen liepen
bijna op eigen pootjes het kommetje uit.
'Dit!'

Hij deed een ketting met een grote
ijzeren bal aan Geronimo's poot en
sloot het met een slotje af.

Hij miauwde: 'Huiver, knager! Je bent ontvoerd
door de meedogenloze piratenkatten en bent aan
boord van **DE ZWARTE TORNADO,** het
meest gevreesde galjoen van alle oceanen.'

Geronimo stamelde: 'Z-ZWARTE

T-TORNADO?'

Hij sleepte de ketting achter
zich aan en liet zich op de deken
vallen. Hij fluisterde ontzet:

'Gi-ga-geitenkaas, zeg maar dag met je
pootje. Ik ben een **DODE MUIS!**

NAAR DE HAAIEN!

De volgende dag likkebaardde Kattenklauw van de honger.

'*Mjam,* ik heb wel trek in een kleine **snack.** Toast met haringmarmelade! Vissticks! Mosselshake! Visquiche! Gevulde tonijnchocolaatjes! Rolmopsen! Mjam, ik ben niet voor niets een kat, geef mij maar *vis!*'

Hij brulde: 'Wee je kattengebeente, ik wil niet gestoord worden!'

Zijn houten poot verdween achter de keukendeur en de zeekatten wisten niet hoe snel ze aan dek moesten komen. Ze fluisterden: 'Wie weet waar de muizen hun G🌀UD bewaren...'

'Ze hebben vast en zeker, zeker en vast ergens
een schat verborgen...'

'We laten Geronimo Stilton zingen!'

'Ja, we moeten uit hem zien te persen waar het
goud is.'

'We zetten hem op de loopplank, dan piept hij wel!'

'En als hij niet ₱𝓲𝓔₱₮...'

'Naar de haaien ermee!'

'Ja, naar de haaien!'

De piraten haalden Geronimo
uit het ruim en zetten hem
op de loopplank.

**Belle Belle
ven Katteck,**

een kattenpiraat met een
verbeten **WOESTE**
blik, prikte de punt van

Waar ligt de schat?

haar sabel in zijn kont. 'Piep, knager, waar ligt
de schat?'

Geronimo brulde: 'We hebben helemaal geen
schat op MUIZENEILAND!'

'Sprookjes! Piepen, knager! Biecht maar op...'

'Of je gaat naar de haaien!'

Geronimo keek naar beneden en trilde en rilde:
allemaal haaienvinnen!

Er kwam een hoge golf aan, het schip HELDE
naar een kant...

Geronimo verloor het evenwicht en viel in zee!

Op dat moment kwam Kattenklauw aan dek en
miauwde: 'Wat spoken jullie daar uit, stelletje
dakhazen?'

Zeekat Pikbrock vertelde stoer: 'We wilden hem
ontfutselen waar het Muizenvolk hun SCHAT
begraven heeft! Heb je gezien hoe hij trilde?'

Kattenklauw trapte hem woest op zijn staart:

'*Klunskat!* Die knager is goud waard!'
Hij brulde naar de zeekatten: 'Laat een sloep neer.
Ik wil die muis… en ik wil hem *levend!*'
Net voor de haaien zich op Geronimo stortten,
wisten de zeekatten hem uit het water te vissen.
Kattenklauw beval: 'Koers naar KATTENEILAND!
Ik ga slapen, en haal geen streken meer uit, of ik
trek persoonlijk al jullie snorharen eruit!'
Ze miauwden in koor: 'JA, KATTENKLAUW!
NATUURLIJK, KATTENKLAUW!'

Heeeelp!

Maar Kattenklauw had zich nog niet omgedraaid of **BELLE BOLLE** miauwde: 'Zo, hij is weg. We zetten de **AUTOMATISCHE PILOOT** aan en gaan allemaal slapen. Omdat we die stomme muis moesten ontvoeren, hebben we al nachtenlang geen **OOG** dicht gedaan.'

Een minuut later was er al gesnurk te horen aan dek: 'Snurk… bzzz… snurk… bzzz… snurk… bzzz… snurkkkkk… bzzzzzz… snurk… bzzz… snurk… bzzz… snurkkkkk… bzzzzzz!'

ONDERTUSSEN OP MUIZENEILAND...

De **NACHT** waarin Geronimo ontvoerd werd had niemand zijn verdwijning in de gaten.

Maar de volgende ochtend...

Zijn buurvrouw was verbaasd dat hij niet om klokslag 9 uur naar kantoor ging, *zoals gewoonlijk!*

Zijn krantenverkoper was verbaasd dat hij geen **krantje** kwam kopen, *zoals gewoonlijk!*

Zijn barman op de hoek was verbaasd dat hij geen **cappuccino** kwam drinken, *zoals gewoonlijk!*

De redactie van *De Wakkere Muis* was verbaasd dat hij niet precies op tijd kwam binnenwandelen, *zoals gewoonlijk!*

Zijn neefje Benjamin was verbaasd dat hij

hem niet naar SCHOOL bracht, *zoals*

gewoonlijk!

Zijn zus Thea was verbaasd dat hij geen

e-mail stuurde, *zoals gewoonlijk!*

Zijn neef Klem was verbaasd dat hij niet

was uitgenodigd voor het ETEN, *zoals*

gewoonlijk!

Tante Lilly was verbaasd dat hij nog niet had

gebeld om te vragen hoe het met haar ging,

zoals gewoonlijk!

Speurneus Teus was verbaasd dat hij nog

niet boos had gereageerd, hij had weer eens

een 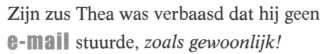 met hem uitgehaald,

zoals gewoonlijk!

Teus was een grappenmaker maar ook een

goede speurneus.

Als hij iets verdacht vond, ging hij op
ONDERZOEK uit...
Hij neusde in de lades van het bureau van
Geronimo en vond daar het perkament.
Bezorgd las hij wat er stond en piepte: 'Hè?
Pier nummer 13?'
Hij rende **rattenrap**
naar pier nummer 13
en vond... het tweede
perkament, daar
achtergelaten door de
katten!
Teus rende naar de politie
en het nieuwtje ging als
een *LOPEND VUUR* door
heel Rokford.

die heel Muizeneiland
op zijn kop zet,
kom dan naar de haven,
om middernacht. Pier 13.
Praat er met niemand over,
and...
...en!

Eerste perkament!

Geronimo S....
ontvoerd! Voor zijn
vrijlating eisen wij
duizend goudstukken
(... geen speelgoed!)

Tweede perkament!

ONDERTUSSEN OP DE ZWARTE TORNADO...

Op DE ZWARTE TORNADO lag iedereen in diepe rust.

De automatische piloot bracht het piratengaljoen naar KATTENEILAND terug, GOLF MA GOLA.

Maar op een zeker moment werd de **ZEE loodgrijs** en de lucht trok dicht: donker en **ONHEILSPELLEND.**

Het schip *KANTELDE.*

Kattenklauw stootte zijn kop tegen het hoofdeinde van zijn bed en werd wakker.

Hij hijgde: '**Gì-gu-guppìes**, ik ruik noodweer!'

Hij rende aan dek en zag de woeste zee.

Hij brulde: 'Nu hebben we de katten aan het

dansen! Slapjanussen, stelletje schootkatten, VLOOIENBALEN, derderangs dakhazen. Jullie noemen jezelf piraten... Ik zet jullie op water en brood! Ik ruk jullie snorharen eruit, een voor een! Ik voer jullie aan de ħααἰɛη en van jullie afgekloven BOTJES maak ik een leuke ketting! Er komt een orkaan aan, omvang "nog nooit zoiets gezien", en jullie liggen te maffen? Slaapmutsen, genoeg gesnurkt! Schiet op, kom als echte tijgerkatten in actie! De eerste die zijn ogen nog een keer dicht doet kom ik hoogstpersoonlijk kaal plukken, haar voor haar! **BEGREPEN?'**

De zeekatten wisten niet hoe snel ze wakker moesten worden, ze miauwden: 'Sorry, baas, we...'

De **bliksem** sloeg in op een paar meter afstand van het galjoen. Door het licht leek het even alsof ze in een **HORRORFILM** terecht waren gekomen.

Alle katten miauwden verschrikt: 'Miauw! Kattenklauw, doe iets, alleen jij kunt ons **redden** uit dit noodweer!'

Kattenklauw greep het roer: '**ZEILEN** strijken… **TUIGEN** spannen… de **BUITENKLUIVER** in zeil zetten… **VOORBRAMZEIL** hijsen… het **LATIJN-ZEIL** aanhalen… pootje helpen met de reef van het **BEZAAN**„ en de **ZEILEN** opgeien!'

EEN ORKAAN OMVANG "NOG NOOIT ZOIETS GEZIEN"

Het galjoen danste op de golven heen en weer, golven zo hoog als een flatgebouw.

Kattenklauw miauwde: '*Gi-ga-guppies,* zo'n zware orkaan heb ik in mijn hele leven nog niet meegemaakt! Maar ik zal de zee bedwingen en veilig in KATTENDRECHT aankomen, zowaar ik KATTENKLAUW heet!'

Ondertussen zag Geronimo **groen** van zeeziekte, beneden in het ruim.

'*Gi-ga-geitenkaas,* zo'n **kat-a-strofe** heb ik in mijn hele leven nog niet meegemaakt! Maar ik zal de katten bedwingen en veilig in ROKFORD

aankomen, zowaar ik
Geronimo Stilton heet!'
Kattenklauw bleef uren aan
het roer staan. Alle katten
jammerden:
'Kapitein, red ons!'
Hij bromde: 'Jullie
hebben geluk dat ik
een goede kapitein ben.
Zo'n goede heb je in
je hele leven nog niet
meegemaakt!'
Tegen de ochtend
ging de wind
eindelijk liggen. DE ZEE
KALMEERDE en aan de horizon
lag KATTENEILAND!

STELLETJE SCHOOTKATTEN!

Kattenklauw keek met ongeduld uit naar hun aankomst in de haven: 'Ach, wat zullen ze opkijken! Dat is wat ik noem een FELIENE ZEGE!'

Hij belde Oscar Tortuga: 'Leg het FOTOTOESTEL maar vast klaar, je moet foto's nemen en aantekeningen maken, ik wil dat je deze FELIENE ZEGE vastlegt voor mijn biografie!'

Het was een triomfantelijke intocht: op het strand, op de oevers, in de straten wemelde het van bewoners van KATTENEILAND.

Katten en poezen van allerlei rassen, kleur en omvang riepen: *'Leve Kattenklauw de Derde!'*

Menig poes gluurde door de patrijspoorten,
wierp **rode rozen** en blies kushandjes.
'Leve de Keizer der Katten! Drie *hoeraatjes*
voor Kattenklauw!'
Kattenklauw barstte zowat uit zijn vel van trots.
Hij groette naar links en naar rechts met zijn
haak, met op zijn snuit een trotse blik.
'Drie hoeraatjes voor mezelf! Ik heb de knager,
Geronimo Stilton dus, ontvoerd! Ja, ik kan
wel wat! Ik ben de beste!'
Het kattenvolk bleef maar enthousiast
juichen. De bewondering voor Kattenklauw
bereikte een hoogtepunt!
Hij beval: 'Leg de loopplank uit zodat de door
jullie hooggewaardeerde gezagvoerder, ikke dus,
aan land kan gaan en de hem toekomende
roem van zijn **TROUWE VIERVOETERS**
kan oogsten!'

Maar, o, o, de loopplank begaf het onder het gewicht van de zwaarlijvige Kattenklauw en...

met een plons belandde hij in het water!

Het kattenvolk lachte schaterend:

'Hahaha...hahaha! Hahaha...hahaha!

Ook de zeekatten van andere schepen in de haven hielden hun buik vast… *van het lachen*. Op de pier rolden heel wat katten over de grond… van het lachen. Iedereen lachte!

Kattenklauw kwam boven en *spoot water*. Hij brulde: 'Stelletje schootkatten! Mislukte dakhazen! Vissenkoppen! *Haal me eruit!*'

Acht zeekatten deden een poging, maar

Kattenklauw was veel te **ZWAAR.**
Ze hadden er meer dan een uur voor nodig,
voor ze hem met een ingewikkeld systeem van
touwen en katrollen aan land hadden.
Kattenklauw zat onder de algen, een haring
stak uit zijn oor en een mossel had zich willen
verstoppen in zijn jaszak.
De Keizer der Katten haalde eens diep adem.
Ondertussen was de hele pier uitgestorven,
iedereen was naar huis. Hoezo, FELIENE
ZEGE? De enige kat op de pier was
OSCAR TORTUGA, die in
zijn knuistje lachte:
'Ha ha ha! Majesteit,
wilt u echt dat ik hierover
schrijf in uw biografie?'

Ha ha ha!

Door, de straten van Kattendrecht

De piraten sloten *Geronimo Stilton* op in een **ijzeren** kooi, en zo droegen ze hem door de straten van KATTENDRECHT naar de kerker van het fort.

Piep!

De knager keek zijn ogen uit naar de oude
gebouwen en de moderne vervoersmiddelen.

AUTO! **MOTOR!** *VLIEGTUIG!* *trein!*

Overal zag hij katten van verschillende rassen en
kleuren: Siamezen, perzen, tijgerkatten, lapjeskatten...
Het verkeer *raasde,* het was druk.
Auto's toeterden terwijl katten woest miauwden:
'Aan de kant!'
'Pas op!'
'Ik wil er langs!'
'Nee, ik eerst!'
Toen ze bij het **fort** aankwamen werd Geronimo
opgesloten in een kerker onder de grond.
Kattenklauw en zijn maten vierden **FEEST!**

Katelijne kon niet slapen **die nacht**. 'Ik moet op de een of andere manier Geronimo Stilton bevrijden! Die katten verslinden hem met huid en haar! Zijn boeken zijn *veel te mooi*. En trouwens ik ben sowieso vegetariër... ik krijg geen hap muis door mijn keel!'

Ook OSCAR TORTUGA sliep niet al te best
die nacht. 'Ik moet op de een of andere manier
Geronimo Stilton bevrijden! Een knager die
zulke *mooie boeken* schrijft moet dat vooral
ook blijven doen. Het is wel jammer… ik had
graag een hapje genomen!'

MUIS...
IN DE VAL!

Oscar Tortuga sloop in tijgersluipgang naar de **kerker** waar Geronimo zat.

Hij was bijna bij zijn cel, toen zijn sonaroren het vage geluid van ruisende zijde waarnamen.

In de gang verscheen een lange slanke figuur; die figuur droeg een hoed met een pluim en verspreidde een delicaat **rozenparfum**.

Dat was... de mooie **Katelijne!**

Zij sloop naar de cel van de knager en mompelde: '*Geronimo Stilton*, ik ben gekomen om je te bevrijden!'

Oscar Tortuga sloop naar haar toe en fluisterde

gniffelend: 'Katelijne! U ook hier? Maar wat toevallig!'

Ze maakte verschrikt een sprong naar achteren, herstelde zich en maakte zich op voor een

KARATEKICK.

Toen ze hem herkende bleef ze staan. 'Sorry, Oscar Tortuga, ik was op alles voorbereid!'

Hij lachte: 'Goed gedaan, mijn beste, ik wist dat u een pittige poes was. Maar waarom bent u hier?'

Haar snorharen trilden: 'Oscar Tortuga, het is helemaal niet zeker dat we door knagers te ontvoeren de problemen van het kattenvolk oplossen. Nee sterker nog, als de schatkist leeg is, komt dat omdat mijn oom veel te **ROYAAL** leeft. Hij geeft echt te veel goud uit. Bovendien heb ik *bewondering* voor deze knager.'

Hij gniffelde: 'Geef maar toe, u hebt al zijn boeken verslonden, toch?'

Stilton pleitte fluisterend: 'Genade, beste katten, haal me hier uit!'

Katelijne liep naar de deur en opende zijn cel. Ze miauwde: 'Ik vind het **macrofantastisch** de beroemde Geronimo Stilton nu in levende lijve te ontmoeten! Ik heb al uw boeken gelezen!'

Geronimo kuste haar **POOT**: 'Ahum, juffrouw, ik ben ook onder de *indruk...* dat wil zeggen, eigenlijk een beetje **BANG!**'

Oscar Tortuga kwam dichterbij en bekeek de **MUIS** nieuwsgierig: 'Miauw, dus jij bent die knager die mijn werk komt stelen?'

Geronimo schudde zijn kop: 'Mijn naam is Stilton, *Geronimo Stilton*... en ik wil niemands werk stelen. Ik wil alleen graag naar huis, naar ROKFORD!'

Oscar Tortuga miauwde: 'En toch hebben ze

95

mij verteld dat je beroemde schrijver bent.'

'Dat klopt, ik geef *De Wakkere Muis* uit, de meest gelezen krant van wakker MUIZENEILAND, en ik heb natuurlijk een **HELEBOEL BOEKEN** geschreven!'

'Hoeveel?' vroeg de kat nieuwsgierig.

'Tja, dat weet ik zo niet... honderd misschien...'

'Wat? **Honderd?** Maar dan ben je dus een echte schrijver!' stelde Oscar Tortuga vast. Zijn *respect* nam toe, dat zag je.

Geronimo legde uit: 'Ja, honderd ongeveer, over al mijn avonturen, en boeken over vrede, eten en...'

De ander onderbrak hem.

'Op dit eiland van breinloze katten ben ik de *enige* die een boek kan schrijven en een krant uitgeeft! Ik wil geen andere schrijvers in de buurt die me concurrentie aandoen. Ofwel:

OPGEHOEPELD!'

Geronimo piepte: *'Ja, maar hoe?'*
Oscar Tortuga likkebaardde: 'Als het aan mij
lag, bakte ik je, paar **OLIJFJES** erbij...'
Katelijne protesteerde: 'Ik ben tegen!'
De ander zuchtte: 'Ik breng je wel... met mijn
vliegtuig!'
Hij nam Geronimo mee naar boven, naar het
dakterras van het woonfort. Daar stond een
blauwe **dubbeldekker.**

IK ZAL JE HELPEN...

Oscar Tortuga zette zijn vliegeniershelm en bril op en sloeg een blauwe *zijden* sjaal om zijn hals. Hij zette de motor aan en riep: 'We vertrekken!' De propeller van de dubbeldekker begon te

draaien, draaien, draaien, draaien, draaien... draaien, draaien, draaien, draaien, draaien

... de snorharen van kat en muis *wapperden* in de wind.

Geronimo verzette zich.
'Gi-ga-geitenkaas, ik wil
helemaal niet vliegen, zeker
niet met dit vliegtuigje!'
De kat katte: 'Stap in... of ik
laat je achter en dan verschalken
de PIRATENKATTEN je!'
Geronimo rilde, bond de
parachute om en kroop op
zijn stoel. Hij was BANG,
maar durfde niet te protesteren.
Wat was erger:
A. *Duikvluchten maken met
een piloot die ze niet allemaal
op een rijtje had?*
C. *Achterblijven op een
eiland bevolkt met hongerige
piratenkatten?*

Duikvlucht!

Spiraalvlucht!

Looping!

Oscar Tortuga gaf gas. Het vliegtuig brulde en bewoog als een hongerige tijger die zojuist uit zijn kooi bevrijd werd.

Tortuga haalde echt adembenemende staaltjes vliegenierskunst uit...

Eerst een duikvlucht, toen een spiraalvlucht en een looping en als klap op de vuurpijl een zogenaamde DODENROL!

Geronimo werd groen, kameleongroen.

Oscar Tortuga zat vrolijk te neuriën:

'VLIEGEN, IK WEET NIETS DAT LEUKER IS.

ZELFS NIET ONTBIJTEN MET EEN LEKKER HAPJE VIS.

WE BLIJVEN MAAR DRAAIEN, WIE WEET GA JE NAAR DE HAAIEN!

MIJN VLIEGTUIG... PRACHTIG... IK VLIEG... MACHTIG!'

De vlucht duurde uren en uren.

Tegen zonsondergang veerde Geronimo op:

'Kijk, MUIZENEILAND!'

De kat maakte een duizelingwekkende wending, gevolgd door een snoekduik naar het eiland.

Geronimo brulde: 'We slaan te pletter!'

De ander gniffelde: 'Ik ga niet eens *landen!'*

'En hoe stap ik dan uit?'

'Je springt, met de *parachute!*'

'Nee, niet met de parachute. Ik ben bang!'

Oscar Tortuga miauwde sinister: 'Ben je BANG?

Ik zal je helpen... ik zal je overboord helpen.

Zo waar ik OSCAR TORTUGA heet!'

De kat grijnsde van oor tot oor en drukte op een KNOP op het toetsenbord.

De muis werd uit het vliegtuig gelanceeeeeeeeeeeeeeeeeeerd....

OOST, WEST...

Geronimo Stilton viel seconden… minuten…
uren… wie weet hoe lang?

Het leek oneindig te duren!

De doodsbange knager trok aan het touwtje van
de parachute die met een plof openging: **Plof!**

Terwijl hij daalde, wiegend op de wind, keek
Geronimo naar het eiland onder hem.

Hij zag de blauwe zee, de vlaktes, de bergen…

Met tranen in zijn ogen mompelde hij:

Och, Rokford… wat ben ik blij! Oost, west, thuis best!'

Hij landde precies in het centrum van ROKFORD.
Op het plein had zich een hele menigte
verzameld.

'Wie is die man, *eh muis,* daar met die
parachute?'

'Volgens mij ken ik hem...'

'Maar dat is toch...'

'Ja, dat is hem...'

'Ja, hem...'

'Ze hebben hem toch ontvoerd...?'

'Ja, het is *Geronimo Stilton!'*

Familie en vrienden drongen om Geronimo
heen. Hij **brulde:**

Lieve vrienden, wat is het fijn om weer thuis te zijn!

TOT EEN VOLGENDE KEER...

Geronimo Stilton ging naar kantoor.
Hij liep de trap van het kantoor van *De Wakkere Muis* op, **POOTJE** voor **POOTJE**,
treetje voor treetje, en dacht na.
Hij ging zitten achter zijn bureau en keek naar de levendige **VLAMMEN** van de open haard.
Hij knabbelde op een gorgonzolabolletje.
RUSTELOOS sprong hij op. Hij ging voor het raam staan en keek naar buiten. Hij mompelde: 'Tot een volgende keer, Oscar Tortuga... dat weet ik zeker, zo zeker als ik weet dat ik
Geronimo Stilton heet!'

TOT EEN VOLGENDE KEER!!!

Oscar Tortuga ging terug naar zijn toren.
Hij nam de lift naar de bibliotheek,
POOTJE voor **POOTJE**,
stap voor stap, en dacht na.
Hij ging zitten in zijn stoel en keek naar de
levendige *VLAMMEN* van de open haard.
Hij knabbelde op een kabeljauwbolletje.
RUSTELOOS sprong hij op. Hij ging
voor het raam staan en keek naar buiten. Hij
mompelde: 'Tot een volgende keer, Geronimo
Stilton... dat weet ik zeker, zo zeker als ik
weet dat ik OSCAR TORTUGA heet!'

DE KRIJSENDE KATER

Oscar Tortuga nam de lift en ging naar de redactie, waar hij helemaal in zijn uppie **De Krijsende Kater,** de meest gelezen krant (ook omdat het de enige krant is) van kattig KATTENEILAND samenstelde.

'Dit wordt een heel bijzonder nummer. Politiek en economisch nieuws, *roddel* en achterklap, en een voorbeschouwing van de nieuwe ENKATTA ENCYCLOPEDIE, uitdrukkingen over, van en voor katten, door katten!' zei Oscar. Hij keek op zijn horloge en *MiAuwDE* bezorgd: 'Oh, het is al 11 uur 's avonds. Ik moet nu keuzes maken, de artikelen nog schrijven,

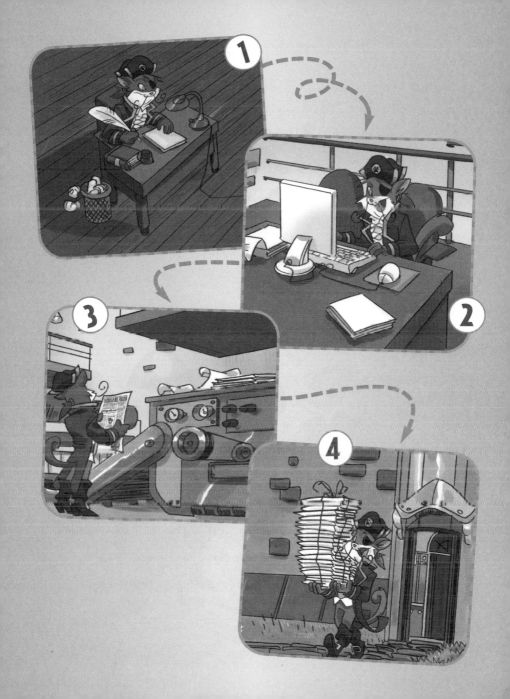

opmaken, drukken en ze dan ook nog naar de kiosk op het **Zwartgallige Piratenplein** brengen! Ik heb geen seconde te verliezen...' Hij ging achter zijn bureau zitten en werkte onafgebroken; vroeg in de ochtend was hij zeer TEVREDEN met het resultaat: de krant was klaar... **ziezo!**

Jaargang 8 - Nummer 267 - Woensdag 27 van de maand Tramontane - XVe eeuw van het Kattenrijk - Prijs: 1 Eurokat

De Krijsende Kater

CURIOSA, MODE, CULTUUR EN NIEUWS VAN KATTENEILAND: NIEUWBAKKEN ALS EEN LEKKERBEKJE!

VERSCHIJNT: WEKELIJKS... MAANDELIJKS... AFHANKELIJK VAN HET NIEUWS EN DE INSPIRATIE!

UITGEVER: OSCAR TORTUGA GEDRUKT IN DE BLAUWE TOREN VAN HET FORT.

Kerkers in fort niet langer "uitbreekvrij"!

Muis vlucht in de nacht!

Kattenklauw vermoedt een complot. Verraad!

Mega-macro-mysterieuze ontsnapping van de schrijversmuis Geronimo Stilton. Wie heeft hem geholpen? Had hij medeplichtigen in het Fort? Zeker is dat hij het niet alleen heeft gedaan! De Keizer denkt na over nieuwe mogelijkheden om de Rijksschatkist te vullen. Er gaan stemmen op die beweren dat besparen op zijn eigen uitgaven, en die van zijn familie, enorm zou kunnen helpen!

Wie is Geronimo Stilton?

HIJ IS DE UITGEVER VAN *DE WAKKERE MUIS* DE MEEST GELEZEN KRANT VAN WAKKER MUIZENEILAND.

Schandaal op het strand

Hermeline Mooistaart de beroemde actrice van Katollywood, heeft zich 'blootgegeven' op het Schildpaddenstrand. Op haar bikini waren diamanten aangebracht, 150 karaats. In het water dreigde zij te verdrinken, de bikini was te zwaar!

GRATIS

bij het volgende nummer:

PIRATENBANDANA!

Prijs kabeljauw stijgt enorm: koks wanhopig!

De visserij van Kattendrecht heeft een staking aangekondigd voor morgen.

De restaurants serveren diepvriesvis.

Door een onverwachte migratie van de kabeljauw komen de vissersboten van Kattendrecht al twee dagen leeg terug. Wat zetten we in de toekomst op tafel, als er geen vis meer is? Restaurants zijn wanhopig. De wetenschap onderzoekt de mogelijke oorzaken. Een oplossing valt voorlopig niet te verwachten.

ECONOMIE ❀ ACTUALITEITEN ❀ RUBRIEKEN ❀ CULTUUR ❀ PERSONEN ❀

VERSCHIJNING NIEUWE ENKATTA ENCYCLOPEDIE!

Exclusief voor onze lezers een overzicht van uitdrukkingen over, van en voor katten, door katten. Voor iedere moderne kat. Was getekend: Oscar Tortuga!

Katzinnig!
Fantastisch! Extreem!
Blikskaters!
Jeetje! Sakkerloot!
Dekselse Duivekater!
Jeetje! Sakkerloot!
Ik rijg je aan mijn nagels!
Ik krab je!
Je kat sturen
Niet komen opdagen
Hij drukt zijn snor
Hij maakt zich snel uit de voeten
Mijn maag jeukt
Ik heb honger
Op hoge poten
Boos

Ga ketsen!
Rot op!
Niet voor de poes!
Niet onderschatten!

Evacueer jezelf!
Laat je hier nooit meer zien!
Eurekat!
Ik heb een idee!
Op zijn poot spelen
Boos uitvallen
Je bent gesnord!
Betrapt!
De kat in het donker knijpen
Stiekem iets doen
Niet mauwen
Niet zeuren
Makro-melig
Saai
Schootkat
Moederskindje

TOELICHTING van Oscar Tortuga

Beste katten en katachtigen, in de wereld van de piratenkatten is het heel belangrijk dat je weet wat je zegt. Voor je het weet zeg je iets verkeerds en word je gekielhaald... Daarom deze nieuwe Enkatta Encyclopedie, met alle nieuwe uitdrukkingen! Lees ze door en zorg dat je bij de tijd blijft!

Wat een triomf had moeten worden... werd een plons!

*Bij zijn terugkeer op Katteneiland was
Kattenklauw III er helemaal klaar voor.
Maar zijn triomf viel in het water... letterlijk!
Lag de plank niet goed? Is hij te zwaar?
Wie zal het zeggen...
Maar feit is dat onze geliefde keizer op de
loopplank uitgleed en in het water belandde.
Het duurde uren voor hij kon worden gered!*

Grafkat!
Wat saai!
Lekker mals kippetje!
Mooie poes!
Automagisch
Raadsel
Ik heb een kater
Hoofdpijn na teveel alcohol
Trap 'm op zijn staart!
Iemand te grazen nemen!
We zijn als kat en hond
*Niet met elkaar overweg
kunnen*
Een kat in de zak
Miskoop
Dat zit wel snor
Dat is goed
Pootje lichten
Laten struikelen
Is de bliksem ingeslagen?
Ga je haar eens kammen!

Kruidenierskat!
Je bent zuinig!
Een kat een kat noemen
Zeggen waar het op staat
Ik voer je aan de haaien!
Ik doe je wat aan!
Chill, gabber!
Kalmeer, vriend!
Onder zeil gaan!
Gaan slapen
**Dat heeft de kat van de
bakker gedaan**
Ik heb het niet gedaan

Maak dat de kat wijs!
Ik geloof je niet!
Mafkat!
Sufferd!
Gi-ga-guppies!
Tjonge jonge!
Mega-Macro...
Gi-ga-...
Feliene zege
Overwinning voor de katten
Kattenkwaad
Ondeugende streken

Eet **Krokantmix** en voel je een potige piraat!

MEGA-MACRO-MOPPENPOT!

Er lopen twee katten in de woestijn, zegt de ene tegen de andere: 'Wat een grote kattenbak, hè?'

Waarom kunnen katten in het donker zien? Omdat ze niet bij het lichtknopje kunnen!

Waarom gaat een kat in de herfst liever niet naar buiten? Omdat het dan meestal hondenweer is.

Wat is het dieptepunt voor een kat? Een hondenleven!

Wat doet een kat achter de computer? Lekker met de muis spelen!

Twee vlooien komen de bioscoop uit, vraagt de ene aan de andere: 'Wat doen we, gaan we lopen of nemen we een kat?'

NIET TE MISSEN KATTEN ITEMS OP TV!

10.30 uur Fox Net
Felix de kat *Cartoon*

14.00 uur S.N.O.R.net
Likkebaarden! *Recepten uit de hele wereld.*

16.00 uur K.R.T. 1
De Krazy Kat *Cartoon*

18.30 uur Fox Net
Een hondenleven
Documentaire

19.00 uur S.N.O.R.net
Piraten voor de boeg! *Film*

19.30 uur K.R.T.1
Wat katten de katten...
het laatste nieuws
Journaal

20.00 uur Keizerlijk Kanaal
Toespraak van Kattenklauw III

20.30 uur Fox Net
De wereld draait dol
Het laatste nieuws over de rest van de wereld

20.35 uur S.N.O.R.net
De kat miauwt zoals hij gebekt is. *Interview met Kattenklauw III, onze geliefde keizer.*

INHOUD

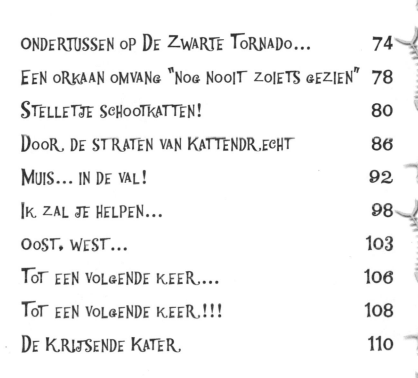

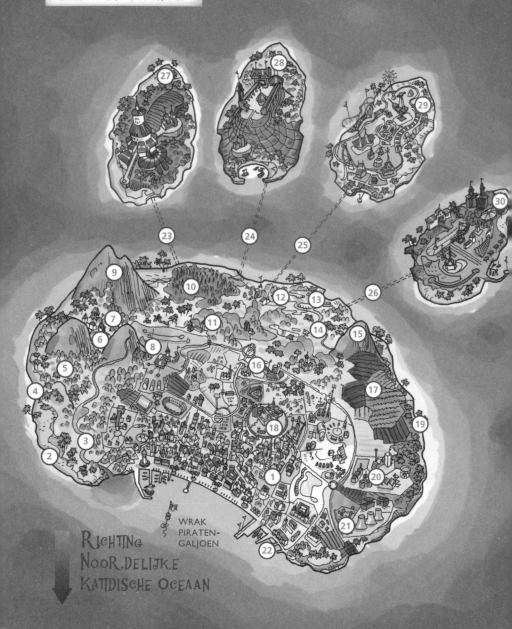

Katteneiland

WRAK
PIRATEN-
GALJOEN

RICHTING
NOORDELIJKE
KATTDISCHE OCEAAN

KATTENEILAND

KATTENDRECHT

Geronimo Stilton

Al mijn boeken zijn te koop in de boekhandel en op de website!

Speciale boeken:
Fantasia
Fantasia II - De speurtocht naar het geluk
Fantasia III
Het boekje over vrede
Het boekje over geluk
Koken met Geronimo Stilton
Het ware verhaal over Geronimo Stilton
Reis door de tijd
Reis door de tijd 2

LEES OOK MIJN STRIPBOEKEN!

De ontdekking van Amerika
Het geheim van de Sfinx
Ontvoering in het Colosseum
Op pad met Marco Polo

DE PIRATENKATTEN HEBBEN EEN MOGELIJKHEID
ONTDEKT OM IN DE TIJD TE REIZEN. OP DIE
MANIER WILLEN ZE DE GESCHIEDENIS VERANDEREN.
MET HULP VAN PROFESSOR VOLT PROBEREN MIJN
FAMILIE EN IK HIER EEN STOKJE VOOR TE STEKEN.
WIL JIJ WETEN HOE HET AFLOOPT? IK HEB ER
VIER GI-GA-GEWELDIGE STRIPBOEKEN OVER
GEMAAKT WAARIN IK HET ALLEMAAL VERTEL.

GA MET ONS MEE OP REIS DOOR DE TIJD!

In dit extra dikke deel staan twee nieuwe, spannende verhalen over de Thea Sisters.

In het eerste verhaal krijgen ze te maken met een oud gezonken fregat, waarover professor van Kraken tijdens college verteld. Het fregat is lang geleden in de buurt van Walviseiland op de rotsen geslagen en gezonken. Aan boord bevond zich een diamant van onschatbare waarde het zogenaamde 'Hart van Jasmijn'. Niet lang na dit college is professor van Kraken ineens verdwenen... en gaan de vriendinnen naar hem op zoek.

In het tweede verhaal worden de Thea Sisters door de ouders van Violet uitgenodigd om naar Peking te komen voor de première van een beroemde opera. Violets vader is de dirigent en haar moeder zingt de hoofdrol.

Natuurlijk zijn de Thea sisters in de wolken over deze trip, maar ook in China belanden ze in een spannend avontuur als Colette een doosje met vijf kleine steentjes koopt op een markt en een Chinese dame wel heel erg veel belangstelling voor het doosje blijkt te hebben...

Lees ook de spannende boeken van Thea Stilton!

DE DRAKENCODE
DE THEA SISTERS OP AVONTUUR (VERSCHIJNT OKTOBER 2008)
DE SPREKENDE BERG (VERSCHIJNT JANUARI 2009)

Dit zijn de Thea Sisters. Samen beleven ze super spannende avonturen!